快腿儿的早餐

文/潘人木　图/赵国宗

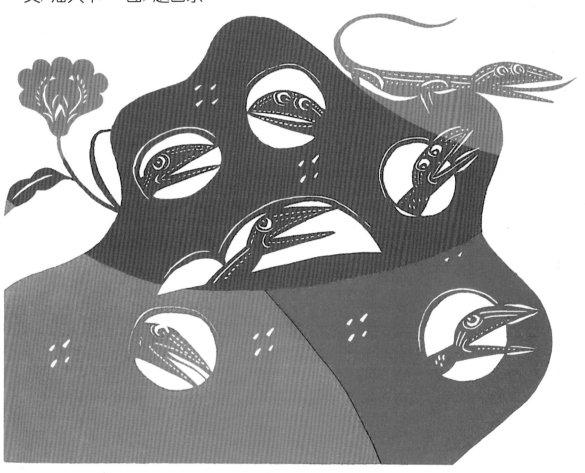

南京师范大学出版社

有一只土灰色的蜥蜴，名叫快腿儿。

快腿儿最喜欢土灰色的土地、

土灰色的石头。

因为那些地方跟它身上的颜色很像，

在那上面爬着走，就像棉花掉在雪上，

别的动物看不见它的真模样。

不过肚子饿的时候，

也管不了什么地方什么颜色，

只好出去瞎撞了。

4

快腿儿新近结了婚，
住在南方的干旱村。
干旱村又干又热，
可是那里的石头缝儿、枯枝堆里，
还住着很多很多它的亲戚朋友们。

有一天早上，

快腿儿躺在地上晒太阳，

快腿儿太太在沙上生蛋。

"太太，你正忙啊？

趁着有太阳，你忙点也好。

阳光可以帮助我们，

让宝宝们在蛋里快快生长，

过些天它们就可以爬出蛋壳儿了。

我一想到这儿，心里就觉得暖洋洋。"

蜥蜴太太半天都不响，
快腿儿扭过身儿一看，
蜥蜴太太的眼泪滴滴答答往下流。
"太太，你怎么啦？"
快腿儿太太伤心地说：
"有个消息，你听到没有？
最近咱们干旱村，
来了个又大又怪的怪兽，
昨天它吃了我的表哥跟表舅。"

"你是说那只野猫啊？

它是有点叫人害怕。

不过光是伤心掉泪，也不是办法；

只要小心点儿，它想吃我们，可也不容易办到。

因为咱们的腿快，很少动物能够追得上。

要是没有这个本领啊，

不早被吃了才怪！"

"咱们蜥蜴过的日子，就是一连串的危险。
所以每次出去，我总是提醒你，
留心！留心你的四周！
太太，我常常这样想，
全世界的动物，要数咱们蜥蜴最善良；
因为好些别的动物，时时刻刻要吃我们，
害得我们总是东躲西藏。"

过了一会儿，快腿儿肚子有点饿，

起来把腿伸一伸，把喉咙清一清，跟它太太说：

"我想吃一只又肥又大的苍蝇！"

快腿儿太太说：

"这个主意不错，我也想吃一只，

等我把蛋生完了，我们一块儿出去才好。"

快腿儿说：

"我倒是愿意等，可是我实在太饿了。

这样吧，我先去捉个蚊子当点心，

回来再接你，你看行不行？"

"好吧！你自己千万当心！"

快腿儿东爬爬，西爬爬，

爬上一块大石头。

快腿儿四下张望，一边默默地唱：

"快腿儿，吃不饱，心里愁，到处走，

什么时候，肚子才能圆溜溜？

什么时候，肚子才能圆溜溜？"

瞧！那是什么？

一只苍蝇在头顶上飞过。

快腿儿一动不动，嘱咐自己，

在这样的时刻，千万不能犯错。

苍蝇没有发现快腿儿，

它慢慢地往下落，落在石头上，

前脚搓搓，后脚搓搓，好像说，

这块石头真宽大，只有它一个。

快腿儿看着直流口水，

它悄悄地爬近苍蝇，

冷不防，伸长脖子，

吐出叉子似的舌头，"啊呜"一口，

苍蝇就落进了快腿儿的嘴。

这只苍蝇的味道真美！

它用同样的方法，

又吃了蚊子甲虫一大把。

它吃得太饱了，

眼皮重，懒得跑，

只想睡上一大觉。

忽然间，一个奇怪的声音，

响在它的耳边，

睁眼一看，

我的天！

一只大野猫，

慢慢慢慢走到它的跟前，

蹲着毛毛的身子，

睁着大大的眼睛，

正要扑过来。

快腿儿抬腿就跑，
但是那只饥饿的大野猫，
哪里肯让它跑掉！
一个追，一个跑，
不停地追，不停地跑。
大野猫的喘气声，就在快腿儿的耳边，
眼看就要追上了。

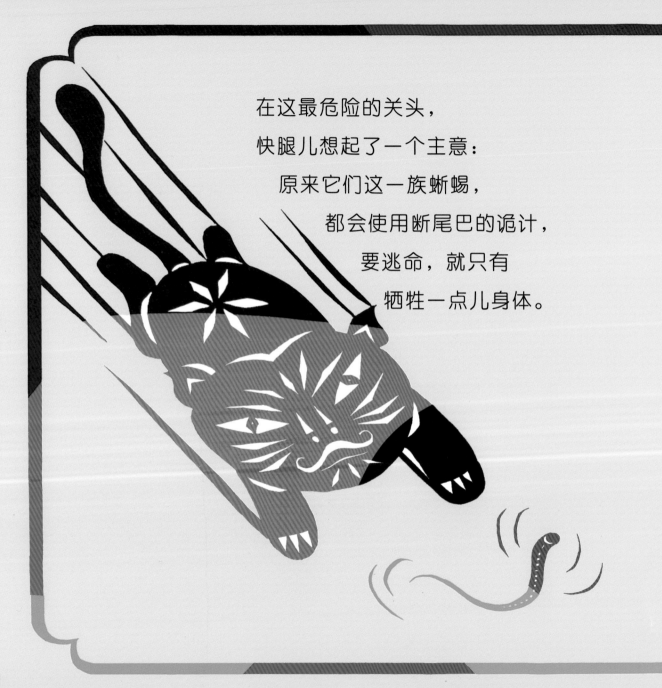

在这最危险的关头，
快腿儿想起了一个主意：
原来它们这一族蜥蜴，
都会使用断尾巴的诡计，
要逃命，就只有
牺牲一点儿身体。

快腿儿下定决心，
　趁大野猫追得紧，
　赶快一扭身，尾巴断了。
　快腿儿逃了，
　逃到石头缝儿里去了。

快腿儿躲在石头缝里，

偷偷地看着大野猫，

看它生气不生气。

大野猫哪会不生气？

它把蜥蜴的尾巴狠狠地摔在地上，

嘴里好像说，你这个骗人的小蜥蜴，

下次绝对不饶你！

快腿儿看大野猫走远，
又看看四周，
没有别的危险，
这才爬出石头缝儿：
"谢谢老天，
让我逃过这一关。"

快腿儿太太正在弄沙子，
一看见快腿儿回来，
就知道发生了什么事。
"你一定遇见了那个大怪物，
不然你的尾巴怎么不见了？"

"是啊！"快腿儿说，"因为我怕你牵挂，
所以只给了它一截尾巴，才逃命回家。
现在想起来，还觉得害怕。"

"真是恭喜你，

不过，你的尾巴掉了，也很可惜。

前天邻居的太太们还说，

在我们的干旱村，

就数你的尾巴最美丽。"

快腿儿说：

"这话倒是不假，可是我宁愿要命，

不要那条美丽的尾巴。

你不要担心，过几天还会长出新的。

新尾巴会跟旧尾巴一模一样。"

快腿儿太太说：

"可是再也不会有旧的那么漂亮。"

"唉！我能活着回来，已经值得庆幸。

听说咱们蜥蜴里，

有些根本就没有断尾巴的本领。

太太，你生蛋的工作完了吗？

你一定饿昏了，我带你出去好吗？

我知道一个地方，

那里有很多又大又肥的苍蝇。"

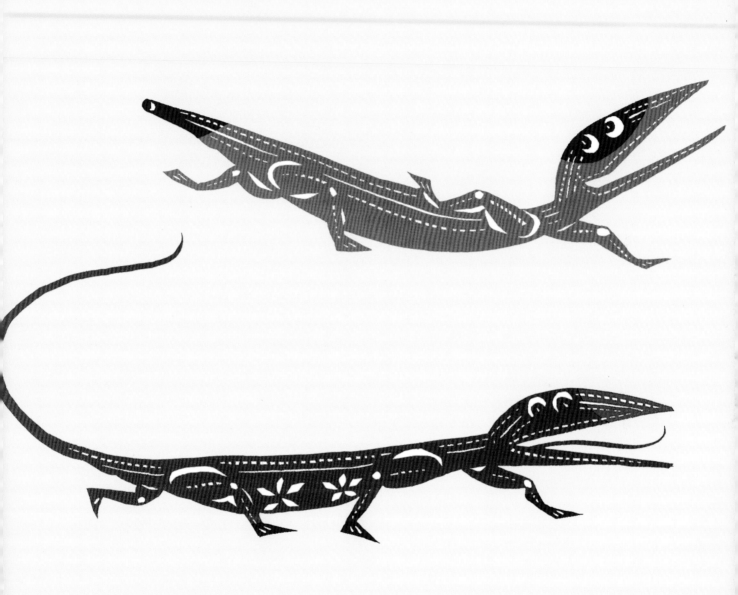

图书在版编目（CIP）数据

幼儿园早期阅读课程：幸福的种子．大班．上／周兢，
张杏如主编.—南京：南京师范大学出版社，2009.6
ISBN 978-7-81101-971-1/G·1282

Ⅰ.幼… Ⅱ.①周…②张… Ⅲ.语文课-阅读教学-学前教育-教学参考资料 Ⅳ.G613.2

中国版本图书馆CIP数据核字（2009）第083732号

ⓒ 台北信谊基金出版社

登记号 图字：10-2009-275号

快腿儿的早餐

文／潘人木　图／赵国宗

丛书主编／周兢　张杏如　策划编辑／陈晓玲　高明美　温碧珠

责任编辑／宇岚　美术编辑／孙芳　特约编辑／王才婷

出版发行／南京师范大学出版社　地址／江苏南京市宁海路122号（邮编210097）

电话／（025）86227729，86227739，83598289，86227759（传真）

E-mail／nspzbb@njnu.edu.cn　网址／http：//www.jsningyi.com

印刷／江苏凤凰扬州鑫华印刷有限公司　开本／880×1230　1/24　印张／11

版次／2009年8月第1版　2010年5月第2次印刷

书号／978-7-81101-971-1/G·1282　定价／88元（全套10册）

出 版 人 闻玉银

FAST-LEG'S BREAKFAST

Text ⓒ Jen-Mu Pan, 2008

Illustrations ⓒ Kuo-Tsung Chao, 2008

Simplified Chinese ⓒ Nanjing Normal University Press 2009

Originally published under the title of "FAST-LEG'S BREAKFAST" by Hsin Yi Publications, Taipei, in 2008.